大道

段永平投资问答录

赵理亚 选　芒格书院 编

推荐与导读

中信出版集团｜北京

最开始，那是一个博客……

就在第 60 届伯克希尔股东大会召开前夕，《大道：段永平投资问答录》正式发行上市。

这部由芒格书院精心编选、段永平先生首肯的经典之作，整理了段永平 2006 年至 2025 年初公开发表的重要分享与讲话，忠实且有体系地呈现这位"第三代价值投资标杆人物"的投资哲学与人生智慧。

从段永平到"大道"，横跨 20 年的投资问答

回到这本书的开始，那是在 2006 年 9 月 5 日，段永平注册了他的网易博客。他没有给自己取网名，就用"段永平"这个广为人知的名字开始写文章了，尽管他在自我介绍里写着："很不会写东西"。

他的第一篇博文是《关于段永平的学位和学历》，第二篇写的是打高尔夫球的心得。第三篇是 2007 年 5 月 11 日写的，那时候，他吃完了那顿著名的"巴菲特午餐"，在博客里用英语写下感想："沃伦·巴菲特是个很棒的人。我学到的东西比我期待的多得多。"

为什么段永平要写博客呢？他是这么说的："反正我写的就是我的一点想法或经验或体会，没有任何和别人比高低的意思。这世界本来就是条条道路通罗马，无所谓哪条最好。这些年在美国生活，确实有好多不同于以前的生活体验，对投资的理解也有些进步，以后还是应该偶尔上来写几句，和有缘的人分享下。"

到了 2011 年，他开始在雪球网上发言分享，账号名称叫"大道

无形我有型"。博友们以前叫他"段大哥""段总",之后球友们就开始叫他"大道"了。当然,更多的人给他贴的标签是"步步高系商业教父""网易和拼多多背后的男人"。

段永平就是段永平,但在他传奇的人生经历中,确实还有一系列的名字与他有关。在企业界,他创立了闻名全国的小霸王。1995年,他成立了步步高。从步步高这个他认为是"最好的企业"里,走出来了 OPPO、vivo、小天才、realme、极兔速递……这些品牌有着不同的业务和产品,但秉持的是同一套源自于他的生意理念与价值观。从企业家成为投资家之后,段永平凭借在游戏领域积累的洞见,于2001年买入了股价从15美元跌至1美元以下、面临退市风险的网易,获利一百多倍。在网易转型的过程中,他与丁磊有过当面交谈与指导,因而被丁磊称为除父母以外对自己影响最大的人。2006年,他以62.01万美元拍下"巴菲特午餐",并携拼多多创始人黄峥一同前往。从加入谷歌一直到后来创业,黄峥的事业生涯深受他的影响,也成为继陈明永、沈炜、金志江之后的第四位徒弟。段永平也是拼多多的早期投资人。

1984年,巴菲特在哥伦比亚商学院的演讲中谈到:"在投资界,为数众多的大赢家却不成比例地全都来自一个极小的智慧部落——格雷厄姆-多德村。这个与众不同的智慧部落孕育的赢家如此密集,根本无法用偶然性来解释。"在中国,段永平以"世事无偶然"的大道,复现了企业界的大赢家部落。

就好像巴菲特和芒格在股东大会上布道一样,大道这一讲也是将近20年,只不过他的讲坛和"有缘的听众"都是在互联网上。他一路以来的思索与金句,被无数人收藏,成为经典的"段式语录",广泛在中文社区上流行。

为了更好更忠实地呈现段永平先生的原意,芒格书院系统梳理了赵理亚（原雪球版本整理人）等研究者整理的逾百万字原始素材，经过去重、辨伪和编辑，最终形成了《大道》这本投资问答录的精选本。

我们以真实可考为根本原则，对全部问答内容进行逐条核查，标注原始发布时间，同日内多组对话于文末统一标注，避免收录二手资料。对段永平反复探讨的核心命题，择取最具时效性的最新阐释；他关于同一主题的思考，则依时间顺序铺陈其渐进轨迹。

大道曾经一度在雪球立下付费提问的规矩。提问的球友，都被鼓励向六和公益捐款。六和公益是一家致力于"让中国儿童读好书"的公益机构，自2012年项目启动以来，六和公益已先后在贵州、安徽、河南和四川等10个省的26个县域推动阅读，累计为1428所学校捐建班级阅读角12258个，阅读空间219间，捐赠图书1139077册，让超过63万名的学生享受到了优质阅读。

呼应大道的"规矩"，也作为践行价值投资理念的公益行动，本书选编者赵理亚与芒格书院承诺将全部版税收益捐赠给六和公益，用于支持阅读推广事业，"用生命影响生命"，彰显大道传播的价值追求。

翻开《大道》，同时读懂价值投资、企业经营与人生哲学

《大道:段永平投资问答录》全书共494页，保留原初的问答形式，从中构建投资、商业、人生的三重体系，内容编排保留逻辑递进的内生逻辑。

第一章 投资大道

"其实投资就是价值投资的意思，不然投资投的是啥？"

"买股票就是买公司"，一句击穿投机幻象，将复杂的金融概念还

原为"企业所有者思维"。如果再补充一条公式的话,那就是"买公司 = 买未来现金流折现"——但这条公式无法代入数值精确计算,只能"毛估估"。在投资的不为清单上,"不做空、不借钱、不懂不碰"是铁律。"分散投资"是一种迷信,"越是懂投资越该集中","至少85%的人不适合投资"。

第二章 商业模式与企业文化

"对的生意 + 对的人 + 对的价格 + 时间 = 好结果,这虽然不是投资的充分公式,但好结果是个大概率事件。"

聚焦公司研究的重中之重,"商业模式和企业文化第一,价格第三"。好的商业模式是企业的护城河,比如苹果的"生态系统",茅台"做好酒的文化";而企业文化决定企业能否长期坚守"做对的事情",比如拒绝盲目创新与多元化,建立"利润之上的追求"。"长期而言消费者作为群体是理性的",所以差异化与用户导向是商业成功的核心,而企业文化的关键则在于是非观,每家好公司都应该建立自己的"不为清单",包括"不赚人便宜""不作恶"等等。

第三章 公司点评

"我的能力圈有限,大部分公司我都不了解。我喜欢的公司我会说的,不用问。"

手把手教你看苹果、茅台、步步高、网易、腾讯、拼多多、英伟达、任天堂等公司,展现价值投资理念如何落地分析。苹果"把用户导向做到极致",茅台"生意模式强大",步步高的成功逻辑在于"聚焦核心产品"。反面案例往往在于商业模式的缺陷,比如与高负债如影随形的风险，比如航空业因产品同质化陷入价格战。

第四章 人生箴言

"其实每个人都是人生赢家！"

跳出投资，将"做对的事情，把事情做对"的理念延伸至为人处事的方方面面。用"本分"与"平常心"镜鉴自己，始终想着"慢慢变富"，甚至于重新思考何为"财富自由"，为什么要做一个"胸无大志"的人。人生的答案其实就在于"做自己喜欢做的事"，"开放心态学习"，"陪家人过好小日子"。

第五章 演讲与访谈

"这篇演讲是我见过的最好的演讲之一，但懂的人很少。"

在浙江大学的三次演讲访谈实录，分别作于2011年、2016年、2025年，大道思想的恒定与进化之处，尽在其中。

《大道》不是晦涩的理论手册，而是段永平以数十年实践凝结的"实录"，它既适合初入者建立正确投资观，也能让老手深化对价值投资的理解。投资的"大道"，从来都是简单的常识。你要做的是，看懂企业、坚守原则、保持理性，剩下的，交给时间。

现在，打开这本标注着时间刻度的问答录，你触摸到的不仅是商业与投资之道的演进，更是真实且长远的践行。这在某种意义上就是《大道》的终极价值：让每个读者，都能在段永平的所知所行中"有所悟"，找到属于自己的"北极星"。

本书赞誉

沃伦·巴菲特 | 李　录 | 方洪波

厉　伟 | 李文美 | 杨　东 | 张云帆

徐　阳 | 归　江 | 夏晓辉 | 韩广斌

杜　广 | 潘　浩 | 刘东华 | 秦　朔

李　诞 | 方　言 | 范恩洁 | 马徐骏

洪　海

（排名不分先后）

Ping，你那博客有没有英文版的，我想看看。

——沃伦·巴菲特

伯克希尔董事长

这辈子你必须得过自己的生活，你只有过自己的生活，你才能活出幸福来。而且只有过自己的生活，你才能真正地进步。不怕慢，"欲速不达"，这是段永平先生最喜欢讲的，我觉得他讲得很对。

——李录

喜马拉雅资本创始人

《大道》中反复叩问的"做对的事，把事情做对"，如同一面镜子，映照出我们在战略选择与日常经营中常犯的认知偏差。阅读这本书的过程，就像与一位智者进行跨越时空的对话。它不提供标准答案，却总能激发我们用"本分与平常"的心态重新审视商业的本质。这种凡事想长远的思维重构，或许比任何具体的技巧都更具价值。

——方洪波

美的集团董事长

段永平先生是中国最优秀的企业家与投资家，他的投资生涯充分体现了"大道至简"的精髓，与为人津津乐道的"第一性原理"有异曲同工之妙。

——厉伟

松禾资本创始合伙人

作为经营实体企业30多年的创业和从业者,读《大道》这部作品,感触最深的就是长期主义。

首先,长期主义是遵从自然规律,懂得只有经过十月怀胎,才会有一个健康的婴儿出生;长期主义是遵循过程就是结果的哲学逻辑,懂得需要吃6个馒头才能饱腹的人,不能只吃第6个馒头而实现其结果;长期主义也是遵从了复利原则,做时间的朋友,不做兔子,而做一只高昂着理想主义之头的乌龟。

其次,长期主义的另外一种表达就是平常心。我们在海岸边,看到的大海是惊涛拍岸,但往海的远处看,看到的海平线是没有波浪起伏的,是平静的、平常的。面对当下环境的变化和危机,坚持长期主义的人,会保持平常心,会保持其战略定力,冷静对待从容处之。这正如书中表达的"不平常的人才有平常心"。

再者,长期主义还有一种表达,就是书中所说的"敢为天下后,后中争先"。做企业是一场马拉松比赛,起跑早并不重要,重要的是持久的耐力和坚持的毅力。所以,做对的事情很重要,做得早就不那么重要了。抗日战争就是一个好例子,我们既反对速胜论也反对投降主义,我们坚持用八年时间打持久战,最终取得了战争的胜利。

——李文美
万孚生物创始人

段永平先生一直是我敬佩的人,无论是做企业还是做投资以及公益,他都是游刃有余,人生精彩而且洒脱通透。多年的经验告诉我,无论是人生中抉择,经营管理,还是投资,其背后都有很多相通的哲理。所谓大道同归,大道至简,段先生肯定是悟道之人了!我之前一直兴趣盎然地阅读网络上段先生的一切评论,对话亦或访谈内容,有了这本书，经常学习和参悟就方便多了。

——杨东

宁泉资产创始人、执行董事

段永平先生的《大道》给价值投资者提供了一些很好的原则和案例，作为企业经营者，在这些原则里，看到了投资之外的一些东西。

段永平先生讲："同样价钱下买的公司是不是上市公司并没有区别，上市只是给了个退出的方便而已。如果你有钱，愿意把这家公司按这个市值买下来并继续交给他们经营吗？等你回答完这些问题之后你就知道便不便宜了。"

企业运营者经常纠结于上市与否，其实上市只是企业发展过程中的一个工具。企业不能仅仅为了上市而上市，或者过度依赖资本市场的短期波动来衡量自身的价值。经营者应将更多的精力放在企业的长期经营上，利用资本市场的资源来支持企业的长期发展战略，而不是被资本市场的短期情绪所左右。

那么，何为卓越的企业经营者？不妨以全新的标准自勉："要让自身修炼至如此境界——即便段先生买下企业并选择退市，依然坚定地认为，这支管理团队值得托付经营重任。"这样的经营者，才能带领企业走向长青。

——张云帆

字节跳动游戏业务负责人

我一生只买过两只股票，一只是在 5.28 和 14 港币的时候买进的，今天的收盘价是 87.65；另外一只是 13 美元买的，今天的价格因为美国的关税问题大跌至 22.86 美元。第一只股票是港股的安踏，第二只股票是安踏收购后重新在纽交所上市的亚玛芬。我对于股票一窍不通，但正如段先生说的，投资自己懂的领域。纵然安踏也曾经探底 3 块钱，亚玛芬跌破发行价，但只要对经营者有信心，长期持有，股市并不欺人。

——徐阳

安踏主品牌 CEO

段先生总能看到些与众不同的东西：比如在和巴菲特午餐会的时候，他会看到这位 76 岁的老人能够像孙悟空一样轻盈地跳到他那辆大皮卡上。财富的获取方式千千万，和愉悦健康人生相伴的财富方式却很难。

——归江

信璞投资创始合伙人

《大道》在时间维度和思想深度上都堪称经典。

自 2006 年网易博客开始，2011 年转战雪球，持续至今，这份问答录的时间跨度将近 20 年。在价值投资的实践者中，鲜有人像段永平先生这般，如此坦诚地将思考过程公开呈现。他是价投界的"开放秘籍"，其案例之鲜活，语言之直白，在投资界独树一帜。

和其他知名的投资人不同，段永平先生首先是一位成功的企业家，双重身份赋予他独特视角。他对商业模式和企业文化的理解远超理论层面，这种来自实践的直觉和感悟渗透文字，直指人心。他的思考总是力求探寻事物背后的根本原因和基础逻辑，看似简单的回答，往往能够直击本质，令人回味。

段永平投资哲学的核心是商业模式和企业文化。

商业模式就是企业产生净现金流的模式。段永平认为，差异化是好的商业模式的前提。他倾向于投资那些具有差异化特征，长期现金流稳定的公司。

企业文化是指"利润之上"的追求，"什么是对的事情，以及如何将事情做对"，包括核心价值观、愿景和使命等等。好的企业文化未必能形成好的商业模式，但好的商业模式一定要有好的企业文化做保障。

商业模式提供稳定性，企业文化提供进化能力。商业模式和企业文化相辅相成，共同构成了段永平独特的投资哲学。对于强调护城河和安全边际的传统价投人来说，这无疑是一种进化和升华。

投资以外，段永平的人生哲学也很精彩。本分、平常心、做一个正直的人，做一个有所不为的人，如此等等，我们总是可以从他简单表达中汲取养分。

——夏晓辉

六禾致谦创始人

《大道》不同于其它的投资类书籍，很有特点，因为它就是段总平时跟网友的问答，原汁原味，许多都是大白话，通俗易懂；有些就是车轱辘话，反复强调。这很容易给读者造成一个假像，就是以为本书真的是那么浅显易懂，那么普通。段总属于比较罕见的跨界成功者。同时在实业界和投资界取得重大成果的人，在这个世界上并不多，另一位比较出名的是亚马逊的贝佐斯，他刚好相反，是从投资界跨入实业界。在不同领域都能取得杰出成果的人，世界上屈指可数，其见解自然不同凡响。所以，这本书自然就有其独特之处，相比一些传统的投资类书籍比如彼得·林奇的《战胜华尔街》，就更胜一筹。

本书其实反复强调的就是几个基本概念：什么是价值投资，什么是护城河、商业模式、企业文化，如何才能基业长青之类的。通篇都是常识，让你觉得好像做到这几点也很容易，其实真的要做到是非常难的。段总在书中强调，买股票就是买公司，而且他认为，除了巴菲特、芒格之外，他认识的人中能够做到这一点的不超过两个，其难度可想而知。在深圳投资圈朋友的饭局上，见过段总几次，席间也进行过一些交流，但时间有限，内容有限。而这本书非常详实，段总知无不言，如果认真领悟，对投资和对经营实业都会有比较大的帮助。本书属于比较少见的那类同时适合投资者与企业经营者阅读的书籍。书中的重要概念比较多，比如企业生命周期的自由现金流折现、不为清单、做正确的事、快就是慢、企业经营者如何面对不同类型的错误等等，我就不一一赘述了，建议读者人手一本，认真阅读领悟。在资本市场的多数投资者都有一个天生缺陷，就是大家没有亲身成功经营过实业，所以体感是比较差的，通过阅读此书，刚好可以弥补短板。

——韩广斌
新思哲投资创始人

虽然价值投资的四个基石——所有权思维、市场先生、安全边际和能力圈是持久不变的哲学底色，但在不同的时代背景下，顶尖价值投资者对其的阐释是不同的。在美国的工业经济时代，格雷厄姆更强调公司的清算价值；在二战后的经济稳定增长期，随着消费占美国经济的比例不断提升，巴菲特则更重注品牌和特许经营权带来的价值；2000年至今，随着科技的发展以及科技与消费的结合，新的或虚或实的产品供应开始涌现，此时对新的商业模式和消费者行为的洞察力成为了关键，段永平先生无疑是在这个时代最杰出的价值投资者。

段先生对价值投资的理解，浓缩为一句话：买股票就是买公司，买公司就是买公司未来现金流的折现值。所有其他关于价值投资的说法，比如护城河、能力圈等，都是为了确认这个折现值的大致数值。在选择公司时，段先生尤其强调商业模式和企业文化：商业模式优秀的公司长期投资的风险是最小的，而优秀的企业文化则可以为商业模式保驾护航。

段先生也强调做对的事情，把事情做对。对企业而言，做对的事情是战略聚焦、专注于产品和消费者体验、追求健康长久的发展；对投资而言，做对的事情是关注优秀的公司，想本质、想长远；于个人成长而言，做对的事情是本分和平常心，守正不出奇。

这是一本极佳的了解段先生思想体系的书，我相信每一个读者都会有所收获。

——杜广

天弘基金基金经理

段永平先生作为"小霸王""步步高"的创办者，先后培育出了OPPO、vivo以及拼多多等世界级企业；与此同时，他在二级市场的投资上也取得非凡成就，被誉为新一代价值投资的重要传承人。这样兼具创业与投资双重身份的经历，使得他对企业"护城河"的理解既简洁又清晰，尤其从企业家实际经营的角度切入，格外具有指导意义。

在《大道》中，段先生着重强调了"差异化"与"企业文化"的核心价值——只有当企业提供的某种差异化恰好契合用户需求，而其他竞争对手却难以满足时，才能形成真正的护城河。这种护城河若能长期维持，就能带来持续的定价权和更好的利润表现，也即更充沛的净现金流。相比巴菲特先生对于护城河的宏观定义，段先生更聚焦于企业家自身如何"造河"和"守河"，这一视角非常贴合创业者的实际需求。

为了深入理解企业竞争优势的构成，我也对比了巴菲特先生和哥伦比亚大学布鲁斯·格林沃尔德教授所阐释的护城河概念。他们多半从市场分析与案例研究的角度切入，探讨了行业竞争、企业利润与股价表现之间的关系。而段永平先生的贡献在于：作为一位企业经营者兼价值投资人，他为创业者提供了更加直接的思路——以企业文化为根基、以差异化为抓手，借此形成可持续的竞争优势与定价权。

对创业者而言，我们可以从价值投资人的角度来反向审视自己的商业模式：如果一家企业能长期维持差异化，为用户不断创造难以替代的价值，并通过企业文化固化这一特质，就更有机会得到价值投资者青睐，同时也能赢得稳固的市场地位和丰厚的净利润。段先生的经历表明，善于创业的人也能成为成功的价值投资人，而卓越的投资思维也能反哺企业经营。这是本书极其宝贵的洞见之一。

作为新一代消费品牌的创业者，我非常推荐《大道》给所有已经创业、或正寻求长远竞争优势的同行们。在这本书中，你能读到段永平先生有关"护城河"的犀利见解与实例剖析，这些经验不仅来自投资研究，也源于他多年的企业实战。对于正在摸索企业文化、差异化路径和利润增长模式的创业者而言，这些内容堪称"从理论到实操"的直接指南。能够如此系统、深入、直白地剖析"差异化与竞争优势"并给出实践案例的书，在市面上并不多见。

因此，如果你正思考如何为自己的企业构筑坚实的护城河，或在创业路上踌躇下一步战略规划，那么这本《大道》能够提供一个全新的思考方向：学会像价值投资人那样评估企业，把握企业文化与市场需求的深度结合，打造出持续创造价值与利润的商业模式。

——潘浩

希望树创始人

回看 27 年前我在《中国企业家》杂志写的卷首语"阿段的幸运"，再看他从创业到投资、从国内到国外的人生经历，深感人生无意外，我所认知的"阿段"几十年并没什么本质的改变。对于"大道"，他与绝大多数人不同的是，"百姓日用而不知"，因而经常偏离亦不知；阿段则主动悟道、修道、行道、证道，把一句"做对的事情，把事情做对"贯彻始终。让我们的生命无比纯粹又无限丰盛的，惟"大道"而已。

——刘东华

正和岛创始人、中国企业家俱乐部创始人

《大道》是本分之道，朴实之道，也是追根溯源、回归正途的投资之道。道理并不复杂，但段永平以自己一以贯之的实践为证，便有了"吾道不孤"的示范和借鉴意义。

——秦朔

中国商业文明研究中心联席主任，秦朔朋友圈发起人我追求的阅读体验是，读一本书之前与读之后像换了一个人一样。我小时候第一次读到段永平的演讲时就是这种感觉，觉得自己变成了新的我，重新理解了世界。很少有书能做到这个地步，说段永平是我的人生偶像也不为过。大道的书好好看，会有恍然大悟的感觉，人生也会从此与众不同。

——李诞

作家

段永平的哲学，堪称价值投资一派中的极简主义。他以极致简洁的思维来剖析复杂多变的投资世界：买股票就是买公司，而买公司就是投资这家公司未来所创造的现金流；判断一家公司是否拥有未来，仅需判断其商业模式和企业文化，判断它是否拥有一门好生意。这条由股票——公司——现金流——好生意所构成的思维链，宛如麦克斯韦方程一般优美且有效。与此同时，段永平的投资实践同样贯彻了知行合一的原则。20多年来，他用最低的操作频率，控制了犯错的概率。他在投资的认识和成就上着实令人钦佩。因此我们应该承认，在他那已然熠熠生辉的卓越企业家头衔之上，无疑还稳稳戴着一顶伟大投资家的桂冠。

——方言

《时代的期权》作者

段永平这本书，比较像一本投资的经文，散落在时间和空间中的布道，有问有答，津津有味。而且语言平实，像极了段永平一直说的"平常心"。他用平常心做投资，用平常心生活，用平常心交流。

虽然段永平说，至少85%的人不适合做投资，我倒不觉得他这是劝退普通人，他是在打预防针，把风险、把犯错、把复杂性……都摆在前面说，然后回到自己能搞懂的那一些些领域。用平常心去投资，可能才能真正体会投资的乐趣，或者收获时间的奖赏。

在《穷查理宝典》之后，这又是一本可以反复读的大部头。结合巴菲特的股东信来看，更是过瘾。

术可学，道需悟。

——范恩洁
聪明投资者联合创始人

所谓大道有两个特点：至简和无形。

大道至简，意味着投资其实从来不是什么非常复杂的事情。真正懂得如何投资的人，可以用所有人都能听懂的话直接表达出来，甚至不需要什么术语和专业名词。

但大道无形，也代表着投资从来也没有固定的公式可套用。并不是学历高、够聪明、金融知识丰富就一定能做好投资。

在这本《大道》里，能同时感受到大道的这两个特点，因为段永平先生不只是优秀的企业家，也是真正懂得投资之道的人。就像他自己说的，做企业和做投资其实是一回事。他同时在这两个方面用结果证明了这点。

这本书还有一个意外之喜，是内容足够的诚恳和真实。

"大道无形我有型"，是段永平先生在雪球使用的ID，乍一看似乎是一种自大，怎么大道都无形了，一个人却可以说自己有型呢？

可当真正理解了大道的意思，就会明白这是段永平先生的一种谦卑且自省的表达。

"形"的意思是外观和形状,"无形"就是看不见摸不着。

"型"的意思是样式和风格,"有型"可以理解为有自己的固定风格和内在逻辑。

有型的东西可以效仿和学习,但同时,有型也意味着会犯错。

不像其他的投资机构或者知名投资者,只喜欢谈论自己的成功,而对自己的失败一笔带过。段永平先生对自己犯过的错误非但不避讳,还会展现出一种令人惊叹的诚实和坦白。这就让这本《大道》里讲述的投资思考更为可信。

更有意思的是,作为问答录,本书的文字偏口语风格,没有复杂深奥的长句,就像是段永平先生坐在对面跟你聊天一样,简单易懂,还金句频出。真应了那句,真佛才说家常话。

无论是巴菲特、芒格、李录还是段永平先生,都始终相信这个世界上只有一种投资,就是价值投资。但毕竟前三位隔着茫茫大洋,多少有些距离感,无论是语言上的,还是心理上的。段永平先生是生于斯、长于斯、成于斯的地道中国人,他在中国和美国投资的成功,更容易让我们看到价值投资的普遍性价值。

——马徐骏

专栏作家,回响开年演讲策划人

本书以对话录的形式结合时间线,对段永平先生的投资心得做了梳理。这样的编排让读者可以轻松跨越时间周期,窥见时光中段先生那些变与不变的智慧。

"是真佛只说家常话。"段先生的问答录印证了这一点。他将高深的投资理念以平实语言娓娓道来,言简意赅。有时也让人忍俊不禁,率性随意地流露着真性情。他对真实世界直逼本质的洞察,凝结了他在价值投资里经年不变的核心思想——"买股票就是买公司"、"做对的事情,然后把事情做对"、"最重要的是商业模式,然后是企业文化"、"从十年,二十年后反过来想"……

如果你希望寻找一个跟价值投资大师对话的机会,这本书无疑是最佳切入点。

——洪海

纪录片导演,时代纪录创始人

重磅导读

徐　新｜但　斌｜杨振宇

卢安平｜李　翔

（排名不分先后）

巴菲特股东大会归来读段永平

徐新
今日资本创始人

芒格书院的施宏俊老师邀我给《大道：段永平投资问答录》写个读后感，我一口气读完，觉得就像是跟老朋友聊天一样，很开心！他证实了我心里很重要的疑问，给了我很多很好的答案，我觉得阿段同学还是非常牛的，很有收获！

以下是我的4个问题。

价值投资的本质是什么？

阿段同学说：

买股票就是买公司，买公司就是买公司未来现金流折现，句号！投资一个公司，主要考虑两个重要的点：（1）这家公司能长期获利吗？（2）公司获得的利润如何给到股东？好公司最重要！如何判断好公司？商业模式和企业文化排第一，价格排第三。和巴菲特的那顿饭，让阿段同学彻底悟到商业模式的重要性——垄断、有护城河，还有"好公司，要一直拿着"。好的商业模式很简单，就是利润和净现金流一直都是杠杠的，而且竞争对手哪怕用很长的时间也很难抢。比较苦的生意的特点往往是进入门槛比较低，产品差异化小，经常需要靠产品价格竞争。特别好的生意模式非常少见。生意模式越好，投资的确定性越高或者风险越低。阿段同学考察公司时有"灵魂五问"：（1）

你喜欢他们的商业模式吗？（2）你喜欢他们的企业文化吗？（3）如果你有钱，愿意把这家公司按这市值买下来并继续交给他们经营吗？（4）品牌走到今天，你觉得他们再过10年会怎么样？（5）你愿意把你的闲钱都投进去吗？

能力圈：一个人一生能真正看懂几家公司？

芒格说：你这一生需要多少个投资机会？你不需要太多，4-5个大机会就够了。我这一生就投了3个公司：伯克希尔、开市客、与李录合作的基金。

巴菲特说：你有多少个投资的好主意？每1-2年有1个就很不错了。

詹姆斯·安德森（James Anderson）说：他一生真正看懂的公司（看到别人看不到的东西）只有3个——亚马逊、特斯拉和腾讯。因为重仓和长期持有，詹姆斯交出20多年年化回报超过20%的业绩。

阿段同学说："很难吗？还好吧。我自己从事企业经营只有10多年，开始投资10年，在这10年里有兴趣的企业中，我大致看懂了10家，重手投了5家，差不多两年一家，没想象的那么难吧？"

投资最大的风险，不是宏观经济走势，不是股票价格波动，投资风险其实只有一个，就是你对公司不够了解！因为不够了解，你就拿不住，股价涨了跌了你都想卖，挣不到时间的复利。阿段同学说："真懂了，就拿得住，不需要什么技巧。"

阿段同学挣大钱的3家公司：

（1）网易：投资成本200多万美元，持有时间8-9年，投资回报100倍以上，赚了20亿人民币；

（2）苹果：2011年开始买入，重仓时间比巴菲特还早，投资成本8-12倍PE，持有时间超过14年，回报超过20倍，持股市值超过百亿美元；

（3）茅台：投资成本 8-10 倍 PE，持有时间超过 12 年，回报超过 10 倍，持股市值超过 200 亿人民币。

为什么可以赚到大钱？阿段同学是游戏玩家，很早就做了小霸王游戏机，所以他很懂游戏。因为是 OPPO & vivo 的创始人，又天天看苹果发布会，他是真看懂了苹果的好。那茅台呢？阿段同学偶尔喝茅台，好像也有点上瘾。因为了解，所以相信，所以拿得住！

阿段同学自称是投资的业余选手，每天花在投资上的时间不超过 20%，他的投资业绩却是相当惊人的！他是如何做到的？我感觉阿段同学"不懂就不碰"的自律性比任何人都强！

另外，他没有管理机构投资者的钱，可以 10 年只拿着苹果 1 只股票。那他的资金来源呢？巴菲特有保险公司的浮存金（float），阿段同学有步步高、OPPO & vivo 的每年分红，老财主家的，不差钱！

安全边际：预测未来现金流有不确定性，要有多少安全边际才下手呢？

我们做风险投资，最重要的是击出本垒打（hit the home run），投到那个伟大的公司！本垒打有两个关键点：（1）频次：你能投到几个伟大的公司？（2）强度：你投到的伟大公司挣了多少回报？

本垒打的频次是时代赋予的机会，我们的运气很好，赶上互联网和移动互联网两次科技进步的大浪，今天又赶上 AI 带来的机会。我认为强度比频次更重要，因为频次看运气，强度靠决策：敢不敢重仓？敢不敢长期持有？

估值对风险投资好像没有那么重要，所以我一直不懂如何把握估值和安全边际。看完这本书，从阿段同学那里习得的增量信息如下：

（1）估值需要功夫，学会估值要花很长时间，不是以小时或天来计算，要以很多年为单位来计算。于是我坦然了，慢慢学呗。

（2）不会估值也许是对公司还不够了解，如果真的了解，对企业未来10年的现金流应该有个毛估估的感觉。公司便不便宜应该是很显而易见的，就像房间里走进一个胖子，你一眼就知道是胖子。

（3）DCF现金流折现法是唯一合乎逻辑的估值方法，是"买股票就是买公司"+"买公司就是买公司未来现金流折现"的量化体现。所以阿段同学买的公司都是垄断的、有护城河的，大概率不会因为竞争而失去未来现金流的确定性。如果看市盈率的话，15倍市盈率阿段同学是不会买的，他嫌贵！他觉得12倍市盈率可以接受；我看大多数案例他都买在50%折扣率（安全边际）。

（4）价值投资是不是只能投那些现金流稳定、成长缓慢的无聊公司，而不适合投那些高增长的科技公司？我觉得不是。阿段同学投资挣大钱的网易和苹果就是高增长的科技公司，关键是你能否看懂公司未来10年的发展前景。任何高速发展的公司，大都与科技变革有关，从新科技普及到新产品普及有20多年的周期。如果你对行业有洞察，能在科技跨越鸿沟之际（15%-20%用户渗透率）找到那个成长最快的赢家，并且重仓拿10年，你一定能挣大钱！

做对的事情，把事情做对

阿段同学说：

做对的事情——这是我一生受益最大的一句话。最重要的是做任何选择要有是非感，而不是跟着利益走，这么做的话过些年就会好很多。当你迷茫的时候，就要想长远，想本质！想本质想长远是一种习惯，是可以培养的。其实每个人都有一颗投机的心，所以才需要信仰。我对信仰的理解就是"做对的事情",或者说不对的事情就不做了。为了提醒自己时刻抵抗住短期诱惑,你需要一个"有所不为清单":不做空,不借钱,不懂不碰!投资的信仰指的是:相信长期而言股票是称重机,对没有信仰的人而言股市永是投票器。

我刚去奥马哈朝圣,在伯克希尔·哈撒韦的60届年会上,再次见到我的偶像巴菲特,他是一如既往的睿智和幽默,尽管声音有点沙哑。巴菲特的一生是多么传奇!每天早晨醒来,跳着踢踏舞去上班,每天阅读5-6个小时,再和自己喜欢的人(芒格或投资的企业家)打电话1-2个小时,靠价值投资成为世界首富之一,还把99%的财富全部捐回给社会!巴菲特是我们的榜样,榜样的力量是巨大的!

我想说,价值投资就是"做对的事情",它让人走正道,让人快乐又长寿,巴菲特用66年的实践证明了这一点,阿段同学用他20多年的实践也证明了这一点!作为巴菲特的信徒,很开心有"同道之人"阿段同学在前面带路!

大道至简，善念如光

但斌
深圳东方港湾投资管理股份有限公司董事长

与段永平先生数面之缘，却始终难忘与深佩其身上实业家的沉雄筋骨与投资家的澄明境界。此书恰是其投资智慧与人生哲思的辑录，书中问答如剑，剖开人性妄念，字句间尽显"大道至简"的深意，读来令人豁然。

段先生最为世人所熟知的十字箴言"做对的事情，把事情做对"贯通投资、商业与人生三重境界，倡导"本分"价值观，以"平常心"凝视资本潮汐，而站在 AI 重构商业底层的奇点时刻，其思想更彰显出某种先知般的确定性：技术的潮水永远在变，但人性对真善美的诉求、商业对价值创造的承诺、文明对长期主义的依存，始终是横跨时空的坚硬河床。

最令人敬佩与动容的，是书中流淌的智者慈悲。段先生多年来累计突破数十亿元且金额仍在持续攀升的捐赠长卷，精准落墨于其母校浙大、中国人大、心平公益基金、中欧国际工商学院等机构，每一笔都可谓"价值投资"的终极注脚：当多数人将财富视为数字游戏时，他早已将目光投向百年后的星空，印合了其书中所述人生箴言"希望自己和后代生活在更好的环境里"。这不禁也让我想起洛克菲勒家族百年传承的隐喻——伟大的投资者终将发现，比复利曲线更永恒的，是让财富回归于提升人类福祉的"能力圈"。

真正的成功，是与时间为友

杨振宇
上海交通大学教育发展基金会首席投资官

在奔波与喧嚣中辗转数月后，近日终于得以静心研读《大道：段永平投资问答录》一书。段先生是横跨商界与投资界的传奇人物，无论是他设立的小霸王、OPPO、vivo、步步高，还是后来投资的网易、茅台、苹果、腾讯等公司，每一个都取得了巨大的成功，书写了商业史上罕见的复合型成功范本。我想，他的经营和投资理念，会给创业者、投资人带来很多启发。

从碎片到系统：价值投资的东方解码

过往数年，我曾零散地研读过段先生的经营理念与投资箴言，其洞见常常非常简明，却又十分深刻。如今，出版方将散落于访谈、演讲中的思想珍珠串成璀璨项链，系统呈现了段永平先生对巴菲特价值投资理论的东方化诠释。虽冠以"投资问答录"之名，实则堪称创业者与投资人的双重启示录——它既是一套方法论，更是一场关于"如何穿越周期"的哲学思辨。

知行合一的巴菲特门徒

段永平先生对巴菲特价值投资理论的践行，堪称"信徒"二字的最佳注脚。他将其精髓凝练为三句箴言。

1."买股票即买公司"——此乃价值投资的信仰基石。1996年，我初入股市时恰逢中国牛市萌芽，在消息驱动的投机狂潮中，我隐约意识到：唯有将股票视为公司股权，以实业思维审视企业价值，方能穿越市场的情绪迷雾。这一认知，在拜读巴菲特著作后得到终极印证，也让我从此踏上价值投资的不归路。此次翻阅《大道》之后，更坚定了我心中对价值投资的信仰，给了我很多好答案。

2."不懂不做"——认知的边界即投资的边界。段先生向巴菲特学习，始终恪守能力圈原则，宁可错失科技浪潮的短期红利，也不盲目涉足认知盲区。这种清醒的克制，恰是多数投资者缺乏的智慧。

3."风险第一"——"钱是赚不完的，但亏得完"，这句来自忘年交的忠告，让我在二十余年的投资生涯中始终与杠杆绝缘。在资本市场这个放大人性的名利场，敬畏风险比追逐收益更难能可贵。

价值投资的知行困局

价值投资之道，一向知易行难。其核心挑战在于两点。

1.企业价值的穿透力：需深度解构商业模式、护城河、管理团队、文化基因等要素，并预判行业变革的冲击力。这要求投资者兼具商业洞察力与历史纵深感。

2.人性的修炼场：在"暴富神话"的诱惑下坚守本心，在市场误判时保持定力，在长期蛰伏中笃信价值回归——这本质上是一场与人性弱点的持久战。

我的交大校友也是好友，睿远基金创始人陈光明先生，正是价值投资中国化的典范。他执掌的东方红系列产品，在15年间创造超30%的年化收益，后又以睿远基金延续传奇。面对"中国市场是否适合价值投资"的质疑,他以一句"投机氛围越浓,价值洼地越多"道破本质——市场的非理性,恰是价值投资者的超额收益之源。

从二级市场到一级市场的认知跃迁

2000年之后涉足一级市场的经历,让我对价值投资有了更深层的理解。

1. 一级市场的价值锚点:尽管公司成熟度不同、流动性差异导致投资逻辑与二级市场相比有所微调(如出手阈值从巴菲特建议的95%降至70-80%甚至更低),但行业选择、商业模式、核心竞争力、团队能力、企业文化等核心要素依然决定成败。

2. 中国投资人的进化奇迹:我的大学同班同学、好友沈南鹏先生以红杉中国为起点,十年便登顶全球投资人榜首并连续数年,印证了中国投资人极强的学习力与执行力。这不仅是个人能力的胜利,更是时代机遇与文化基因的共振。

价值投资与资产配置的实践交响

近年来,我主导交大基金会的投资工作时,愈发体会到价值投资的普适性。

1. 动态平衡的艺术:在宏观周期剧烈波动的当下,大类资产配置需如交响乐指挥般精准调度,既要有长期主义的战略定力,又需有因时而变的战术灵活性。

2. 管理人筛选的价值观:在股权投资中,我们始终将"是否为真正的价值投资者"作为遴选GP的核心标准。历史数据证明,将资金托付于价值投资的信徒,终将收获时间的玫瑰。

给创业者的启示录：本分即远见

最近一些年我也花了很多精力帮助创业者成长。《大道》一书将段永平先生在小霸王、步步高、OPPO、vivo 的创业历程进行复盘，提炼的三大法则对创业者来说尤为珍贵。

1. 本分加平常心。本分就是要做对的事情，同时要把事情做对。平常心就是在任何时候，特别是在有诱惑的时候，能够排除外界的干扰，回到事物的本质，辨别事情的是非和对错，知道什么是对。本分是商业道德的底线，更是战略选择的指南针；平常心则是抵御诱惑的定海神针，让企业始终聚焦本质。

2. 产品会说话。产品力就是话语权。在流量为王的时代，回归用户需求的产品主义，反而成为稀缺的竞争力。

3. 企业文化是核心竞争力。愿景、使命、价值观的清晰度，往往决定企业能走多远。许多初创企业折戟沉沙，根源正在于对文化建设的轻视。

合上书卷，段永平先生的声音仍在耳畔回响："快就是慢，慢就是快。"在这个追求即时满足的时代，价值投资与长期主义，恰似一剂清醒的良药。它提醒我们：真正的成功，从不是与他人竞速，而是与时间为友。

作为一名价值投资的信徒，我很开心看到《大道：段永平投资问答录》的出版，大道无形，榜样的力量是巨大的。

《大道》讲的是基业长青

卢安平

容光投资总经理

几个月前，看到芒格书院编辑出版了《大道：段永平投资问答录》，知道是本好书，但因为陆陆续续看了多年段氏相关的文章和书籍了，想着可能也跟《基业长青》《从优秀到卓越》等反复看过的书讲的同理，就没太放心上。

前些天手头书籍空档期，想起这书。不看则已，一翻就停不下来，每一页都精彩，500页恨不得一口气读完。

《大道》通篇讲的都是基业长青的事儿。对投资企业和股票来讲，久期是最重要的考量因素之一。如果一个企业能活得久，可以考虑投资，估值也能给高一些；如果一个企业不知道能活多久，即使当下很红火，也不值得投资，更不能给高估值。所以基业长青这个主题，对我们做投资的人就太重要了，不能不让人倍感兴趣。

高度抽象和概括，好的企业文化和好的商业模式，是基业长青的必要条件。市场竞争非常激烈，基业长青的企业很少，好的企业文化和商业模式，虽不是充分条件，但至少可以让企业活得更久一些。

企业文化何谓好坏？这个好理解，就跟交朋友差不多，诚实正直爱心是基础，再加长期主义的商业导向和利润之上的更高追求。

好的商业模式，也就是护城河，没那么容易直观理解，本质上需要商业常识积累和对特定行业熟悉，但可以对照多年的公司和同行财务报表增加理解。

企业的价值从哪里来？来自于企业给用户创造的价值，那是企业的产品或服务满足了消费者真正需求的自然而然的结果。洞察消费者的真实需求，满足消费者的需求，企业就有了自由现金流和价值。

为什么说真实需求？因为消费者虽然短时会货比三家挑便宜的买，但长期而言消费者和市场一定是理性的，便宜的往往不是真便宜，免费的东西往往是最贵的。产品的品质与全生命周期的使用成本比较，才是真正的性价比，才是长期真实的需求。任何一个实体产品或服务的市场，跟股票市场一样，长期都是很有效的，不用担心真正的好东西长期会被市场埋没，也不用担心劣币会长期驱逐良币。

所以说，那些频频降价大打价格战恶性竞争的企业，很难说在给客户和社会创造价值，充其量是满足了短视消费者的即时占便宜的心理而已，但消费者最终会认识到，低价低质，全生命周期里最终是吃了亏。

我们常讲，投什么样的公司？长期主义、差异化、单一聚焦、创新驱动、共创共享企业文化、全球化，这样的公司很少。

不投什么样的公司？多元化企业；员工薪酬业内偏低；不太敢冒险大力投入创新，惧怕失败；供应链生态不健康；缺乏做事情到极致的偏执精神和动力；负债率高；市场空间太小，比如只做国内市场，渗透率和市占率已高等等。还没谈到估值，不能投的就已经太多了。

读段永平：做对的事情

李翔

《详谈》丛书作者

段永平先生已经成为一个传奇。虽然功成身退转做投资，但步步高体系分拆出来的OPPO、vivo、小天才都是行业头部公司，此外还有深受这个体系影响的极兔速递以及拼多多。段永平此前在网易和雪球上的文章和问答，也被戏称为互联网名著之一。

我没能有幸跟段永平先生交流，但一直是他的忠实读者。对他在讲的本分、平常心、做对的事情和把事情做对、不为清单等理念，也都非常推崇。最近有幸能提前读了中信出版社整理的《大道：段永平投资问答录》，做了一些笔记，跟大家分享一下我的读后感。

做对的事情，把事情做对

段永平在雪球的网名是"大道无形我有型"。网友一般简称其为"大道"。

要走大道，我理解就是段永平投资和商业哲学的核心。段永平对道的解释就是：做对的事情。这句话还有下半句，叫"把事情做对"。

做对的事情是"道"，把事情做对是"术"。

如果你不知道什么是对的事情，那一定知道什么是错的事情。所以，段永平说，做对的事情，可以理解为不做不对的事情。还可以理解为，发现自己错了马上就改，"不管多大的代价都是最小的代价"。（后来在OPPO宣布停止继续芯片研发时，段永平也用这句话给出评论。）

段永平的原话是："什么是做对的事情？难道还有人明知是错的事情还会做的吗？看看周围有多少人抽烟你就明白了。为什么明知是错的事情人们还会去做呢？因为错的事情往往有短期的诱惑。"

其实，人们往往知道什么是错的事情，只要把错的事情停止做了，就离做对的事情更近了一步。"所以，做对的事情其实就是发现是错的事情的时候要马上停止，不管多大的代价都是最小的代价。"

做对的事情有多重要？段永平说："勤奋和天赋其实都没那么重要，做对的事情最重要。"

一方面是因为勤奋和天赋更像是给定条件，勤奋可能是因为性格，天赋更多来自基因，但"做对的事情"确实是人可以自己选择的。

另一方面，我们确实也都见过一些聪明人只是虚掷光阴，甚至因为自己的聪明而让自己身陷困境。如芒格所说："聪明人认为自己有更强的能力和更好的方法，所以他们往往就在更艰难的道路上疲于奔命。"

少犯错和不为清单

段永平说，经营企业和投资一样，少犯错很重要。

但是少犯错又不能通过什么都不做来实现，那就会停滞。少犯错应该通过坚持做对的事情来实现。做对的事情意味着发现自己错的时候马上就停止，这就引出了不为清单（stop doing list）这个概念。

段永平曾问巴菲特，在投资中不可以做的事情是什么。巴菲特的回答是：不做空，不借钱，不做不懂的东西——不懂不碰。

段永平说："你只要一直本着不懂不做（的态度），你就会少犯错误,时间长了你的结果自然比你不懂也做要好很多。这是要做对的事情的范畴。"

做公司也一样,"把公司做好的秘诀,不是做了什么,而是不做什么。好的公司一定都有一个长长的不为清单。"

比如步步高从一开始就强调不做代工。原因是:"长远来讲,我们想建立自己的品牌,需要把所有的资源投入到自己的产品上。做OEM有很专业的公司,他们有很专业的办法去满足不同客户的不同要求,我们根本没有精力做这些事情。长远来说我们会输给做OEM的专业公司。既然知道长远做不过别人,那我们干脆就不做。"

很多年前沃尔玛的供应商找到他,说要下100万台VCD的单子。段永平在电话里直接拒绝。对方说,难道价钱你都不想谈吗?段永平回答:对的,不管什么价钱我都拒绝,反正你也不会给我好的价钱,谈来谈去大家浪费时间。

比如从步步高拿货,无论多大的经销商,都是一口价,不讨价还价。原因是:"我刚到广东时,就发现人们在谈生意时谈来谈去谈的都是价格。当时我就想,如果能不谈价钱,至少可以省掉70%到80%的时间。"在另一个地方,他说当时他每天要吃八顿饭,洗好多次桑拿,主要都是谈价钱。不二价省去了所有这些麻烦。

其余的不为清单:不赊账、不拖付货款、不晚发工资、不做不诚信的事、不攻击竞争对手……

本分和平常心

本分和平常心是段永平和步步高系的企业家最喜欢提到的两个词。比如本分就出现在包括OPPO、vivo、拼多多的企业价值观里。

段永平自己说，老有人问他步步高和后来步步高系企业的成功秘诀。"人们常说的那些：广告、员工股份分享、经销商入股、网点密布、线下渠道等，都是不对的！我们的秘诀其实就是：本分＋平常心。"

本分是什么？段永平说，本分就是"做对的事情，把事情做对"。

在另一个地方，他说："本分大概就是该干嘛干嘛，该是谁是谁的意思。"

本分也可以从逆向的角度来理解："要想搞明白什么是本分，也需要从什么是不本分来看。比如，欠债还钱（包括利息）就是本分，不还就不是。"

对于平常心，段永平的解释是："平常心其实就是在任何时候，尤其是有诱惑的时候，能够排除所有外界的干扰，回到事情的本质（原点），辨别事情的是非与对错，知道什么是对的事情。"

平常人难有平常心。所以，平常心其实是不平常心。"如果你关心的不是事物的本质，没有平常心是正常的。在错的道路上是没有办法有平常心的。"（平常人难有平常心，对应的另一句话是常识不常见。）

最终还是回到做对的事情上。

有人问段永平企业的应收账款问题，段永平的回答是："我们好像确实不怎么有收不到的钱。我们比较平常心，收不到钱的生意我们不做，不管听起来有多好。"

这里的平常心，是不贪婪，也是强调遵守原则。

守正不出奇

段永平很不喜欢"作妖"。他说，他不喜欢"守正出奇"这个说法，因为相信守正出奇的人，大概率会每天想着怎么去出奇。结果大概率不是出奇，而是出错。

最好是守正不出奇。

有一个关于风险投资的段子说：给我赚到最多钱的项目，是那些我每天无所事事，觉得很无聊的项目；而我最失败的项目，是那些每天让我上蹿下跳，觉得自己很重要，好像离开自己地球就不再转的项目。

段永平说："很多所谓厉害的人其实仅仅是因为他们一直在老老实实做他们该做的事情而已。单看每件事情是很难看出来他们厉害在哪里的。"

"普通人一直尽量坚持做对的事情，几十年后就有机会封神了。"

所以，还是本分，还是做对的事情。"复杂的事情简单做，简单的事情重复做。"

每个人最终都会成为自己要成为的那个人

每个人最终都会成为自己要成为的那个人。这句话有点绕。简单解释一下就是，一个人相信什么，会决定人在每次做选择时怎么选，然后所有这些选择，会对你最后成为什么人起到很大作用。

这句话的另一面是人们从不吸取教训（people never learn）。也就是说人很难吃一堑长一智，或者说人很难被改变的意思。

段永平说，这句话是一位律师跟他讲的。多年前他因为一件事非常生气，就请了一个律师，打算起诉对方，给对方一个教训。律师听完他的想法后说，作为律师，他当然高兴有生意送上门，但是，"人们从不吸取教训，教训一下对方的目的很难达到，但你要为这件做不到的事情费钱费精力，你还愿意做吗？"

段永平说，他当时就打消了这个念头，而把教训对方这个目的交给"恶人自有恶人磨"。

包括他说自己不做空。一个原因是做空要面对的是市场的疯狂，即使你是对的，面对市场的疯狂也可能睡不好觉，甚至赔钱。（能不能睡好觉这件事在段永平看来很重要。他好多次说到要做或不要做某事的理由，都是不会睡不好觉。）

另一个原因，避开不喜欢的事就好了。"不喜欢的公司避开就好了，千万不要去做空……这个世界有很多你不懂的东西，为什么要跟自己过不去。"

至于人类多么不喜欢学习，他说："人们一般很难开放自己去学习别人，即使对方做得很好也老是想办法给自己找个不用学他的借口，有趣得很。"

"不管我说什么，他们都要说但是，就是不听我到底说了什么。这种自以为是的态度是很难进步的。"（以后我再也不说"但是"了。）

尽量过好这一生

段永平尽量过好一生的建议，是普通人也可以完全采纳的。他说："尽量过好这一生的意思是：尽量避开不喜欢的人和事，尽量去干自己喜欢的事情，结果应该开心的概率比平均大一些。"

在浙江大学的两次交流里，他都提到，最重要的三条建议是：做对的事情，把事情做对；胸无大志，脚踏实地去做事；做一个正直的人。

他说："我不知道做个正直的人会有什么回报，但至少让人一生坦然。"

至于钱和财务自由："不为钱做自己不愿做的事情，其实就已经拥有了财务自由。"

对于人生，从正向角度，"做自己喜欢做的事情，有点利润之上的追求"；从负向角度，"不懂不碰，不贪，努力看长远等可以避开绝大多数的麻烦"。

  看到宗庆后先生去世,段永平说:"他是一个很努力的人,也非常享受他做的事情,我相信他也非常享受他的人生。"

  然后,他说:"大致上,这也是我的墓志铭。"